하루 한 장 60일 집중 완성

교과도형

초3

C2

직각이 있는 도형

에듀히어로
Edu HERO

"진짜 히어로는 우리 아이들입니다!"

에듀히어로는
우리 아이들이 밝고 건강한 내일을 꿈꿀 수 있도록
긍정적이고 효과적인 교육 서비스를 제공하는 것을
최우선 목표로 하고 있습니다.

그 존재만으로도 든든한 히어로처럼 아이들의 곁에서 힘이 되어주고,
나아가 아이들 각자가 스스로의 인생 속 히어로가 될 수 있도록

우리는 진심과 열정을 다해 아이들과 함께 할 것을 약속 드립니다.

네이버 카페
교재 상세 소개와 진단 테스트
및 유용하게 풀 수 있는
학습 자료를 다운로드 해 보세요.

인스타그램
에듀히어로 인스타그램을
팔로우하시면 다양한 이벤트와
신간 소식을 빠르게 만나보실
수 있습니다.

카카오톡 채널
자녀 수학 공부 상담 및
자유로운 질문을 남겨 주세요.
함께 고민하고
답변해 드리겠습니다.

히어로컨텐츠 HEROCONTENTS

발행일: 2024년 3월   발행인: 이예찬

기획개발: 두줄수학연구소

디자인: 4BD STUDIO   삽화: 1000DAY

발행처: 히어로컨텐츠

주소: 서울특별시 금천구 서부샛길 632, 7층(대륭테크노타운5차)

전화: 02-862-2220   팩스: 02-862-2227

지원카페: cafe.naver.com/eduherocafe   인스타그램: @edu__hero

하루 한 장 60일 집중 완성 교과도형은 ·····

달라진 교과서와 학교 수업 진도에 맞추어 학습자가 체계적으로 도형을 학습할 수 있도록 안내합니다.

이전의 도형 학습이 도형의 정의와 성질을 외우고, 도형의 측정결과를 계산하는 '결과' 중심의 학습이었다면 지금의 도형 학습은 공간에 대한 이해와 해석(공간감각)을 바탕으로 모양을 인식하고 변화를 유추하고 다양한 방법으로 도형을 측정하고 그 결과를 표현하는 '과정' 중심의 학습입니다.

교과도형은 수학교육의 변화와 핵심을 이해하고 올바른 방향을 제시해 주는 든든한 길잡이가 될 것입니다.

하루 한 장 60일 집중 완성 교과도형은 ·····

① 공간감각 ② 도형표현 ③ 도형측정을 중심으로 교과서에서 다루는 모든 도형을 체계적으로 학습합니다.

공간감각

도형을 효과적으로 학습하기 위해서는 공간을 이해하고 해석하는 능력, 즉 '공간감각'이 필요합니다.

공간감각은 경험과 상상력을 바탕으로 머릿속에서 도형을 조작하고 결과를 유추하는 능력입니다. 공간감각은 단시간에 길러지지 않으므로 어릴 때부터 꾸준하게 학습하고 구체적인 경험을 쌓는 것이 중요합니다.

'교과도형'의 각 권 마지막에 있는 '도형플러스'는 각 권의 학습목표와 연계하여 공간감각을 한 단계 더 높여줄 수 있는 내용으로 구성하였습니다.

도형표현

공간에 존재하는 도형은 표현되었을 때 더 큰 의미를 가집니다.

• 삼각형을 찾는 것에서 그치지 않고 다양한 삼각형을 직접 그려 보고 왜 삼각형인지 설명하는 것

• 쌓기나무로 만든 모양을 위치와 방향을 이용하여 설명하는 것

• 도형을 여러 가지 기준과 특징에 따라 분류하고 왜 그렇게 분류했는지 설명하는 것

• 도형을 위·앞·옆에서 바라보고 그 모습을 그림으로 표현하는 것 등이 모두 '도형표현'입니다.

'교과도형'은 도형과 관련한 작은 그림에서부터 서술형 문장제까지 도형을 표현하는 다양한 방법을 효과적으로 학습합니다.

도형측정

측정은 도형과 아주 밀접한 관계가 있으므로 도형을 학습하면서 반드시 함께 다루어야 하는 영역입니다.

길이, 각도, 둘레, 넓이, 부피 등 흔히 '도형' 영역이라 생각하는 것이 사실 초등 교육과정에서는 '측정' 영역에 해당합니다. 사각형을 학습하는 것은 도형이지만 사각형의 둘레와 넓이를 구하는 것은 측정입니다. 각의 종류를 학습하는 것은 도형이지만 각도를 재는 것은 측정입니다. 이처럼 길이, 각도, 둘레, 넓이, 부피 등은 결국 도형을 측정하는 것입니다.

'교과도형'은 교과서의 모든 '도형' 영역을 다루었습니다. 여기에 도형과 반드시 연계하여 학습해야 하는 '측정' 영역을 추가로 다루어 더욱 완성된 도형 학습을 할 수 있도록 도와줍니다.

하루 한 장 60일 집중 완성 교과도형은

7세부터 6학년까지 총 7단계 21권(단계별 3권)으로 구성되어 있으며 각 권은 매일 한 장씩 4주간 체계적으로 학습할 수 있습니다.

1권, 20일

2권, 20일

3권, 20일

대 상	단 계	구 성
7세 ~ 1학년	P	P1, P2, P3
1학년	A	A1, A2, A3
2학년	B	B1, B2, B3
3학년	C	C1, C2, C3
4학년	D	D1, D2, D3
5학년	E	E1, E2, E3
6학년	F	F1, F2, F3

교과도형의 각 단계는 1, 2, 3권을 차례대로 학습합니다.

교과도형, 한 권이면 충분합니다

교과도형은 공간감각, 도형표현, 도형측정을 중심으로 교과서에서 다루는 모든 도형을 학습하고,
공간감각 향상을 위한 '도형플러스'와 학습 결과를 확인하는 '형성평가'를 제공합니다.

1 주차별 학습

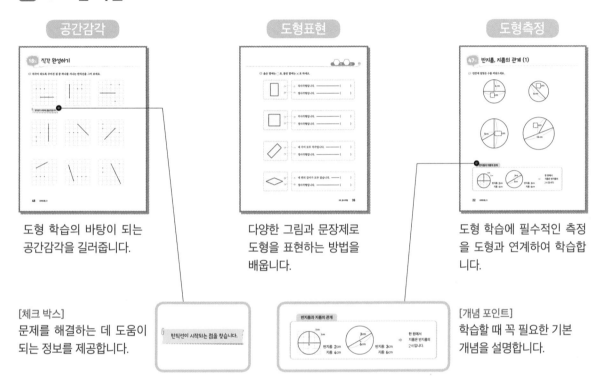

공간감각

도형 학습의 바탕이 되는
공간감각을 길러줍니다.

[체크 박스]
문제를 해결하는 데 도움이
되는 정보를 제공합니다.

도형표현

다양한 그림과 문장제로
도형을 표현하는 방법을
배웁니다.

도형측정

도형 학습에 필수적인 측정
을 도형과 연계하여 학습합
니다.

[개념 포인트]
학습할 때 꼭 필요한 기본
개념을 설명합니다.

2 도형플러스

각 권의 학습 주제와
연계하여 공간감각을
더욱 향상시킵니다.

3 형성평가

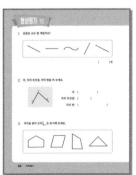

학습한 내용을 다시 한 번
복습하고 정리합니다.

이 책의
차례

1주차
21~25일

직각삼각형

직각삼각형 알기

직각삼각형을 찾아 모두 ◯표 하세요.

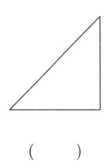

( )

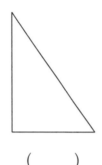

( )

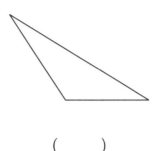

( )

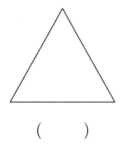

( )

( )

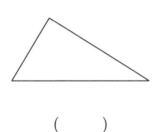

( )

직각삼각형

삼각형 중에서 한 각이 직각인 삼각형을 직각삼각형이라고 합니다.

11 직각삼각형을 찾아 색칠해 보세요.

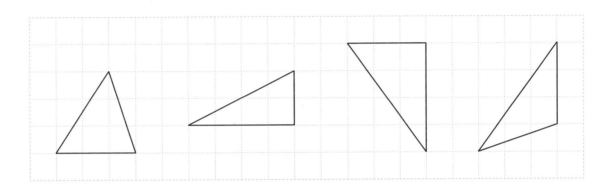

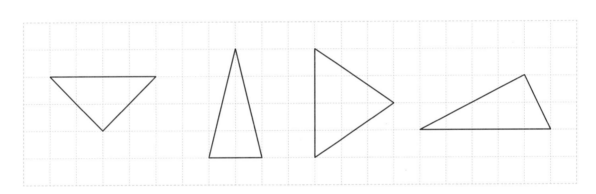

> 모눈 칸을 세어 직각이 있는지 없는지 찾습니다.

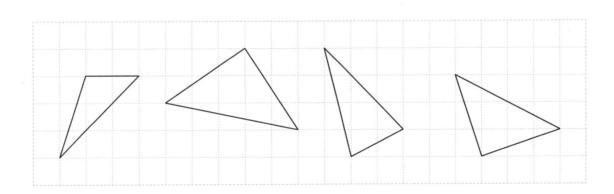

삼각형 분류하기

💬 알맞게 이어 보세요.

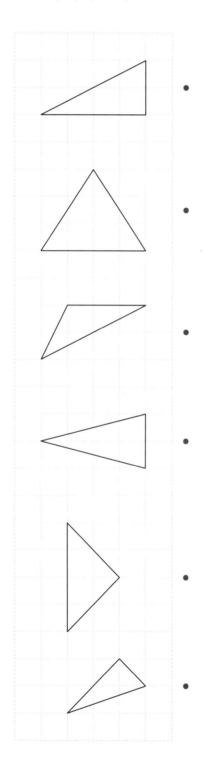

• 직각이 없는 삼각형

• 직각이 1개인 삼각형

• 직각이 2개인 삼각형

11 삼각형을 분류합니다. 빈칸에 알맞게 기호를 써넣으세요.

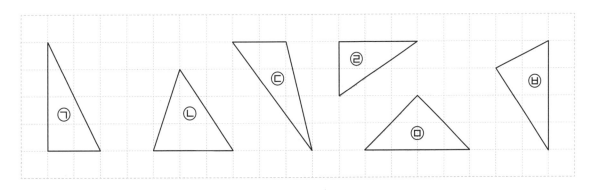

직각이 없는 삼각형	한 각이 직각인 삼각형

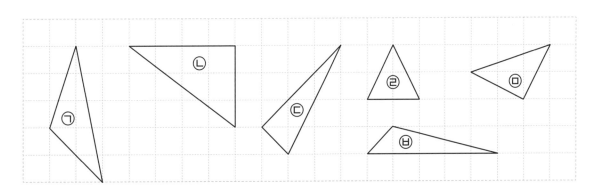

직각삼각형	직각삼각형이 아닌 삼각형

💡 세 점을 이어 삼각형을 그리고, 직각삼각형에 ○표 하세요.

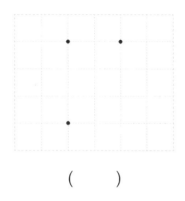

(   )

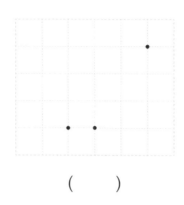

(   )

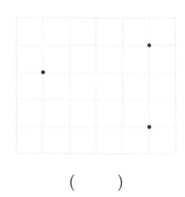

(   )

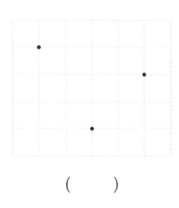

(   )

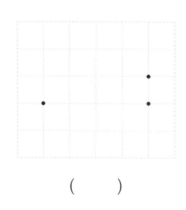

(   )

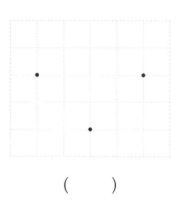

(   )

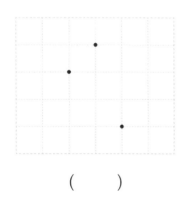

(   )

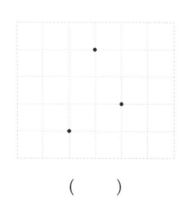

(   )

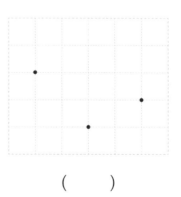

(   )

💬 주어진 선분을 한 변으로 하는 직각삼각형을 2개씩 그려 보세요.

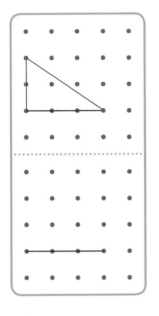

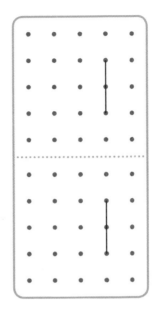

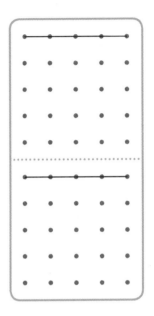

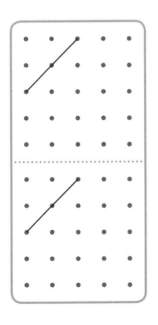

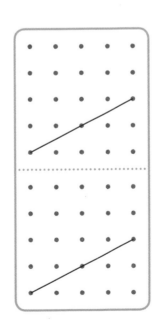

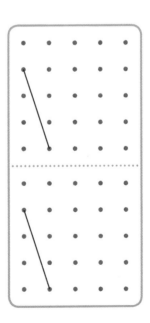

• 표시된 꼭짓점을 옮겨 두 가지 방법으로 직각삼각형을 만들어 보세요.

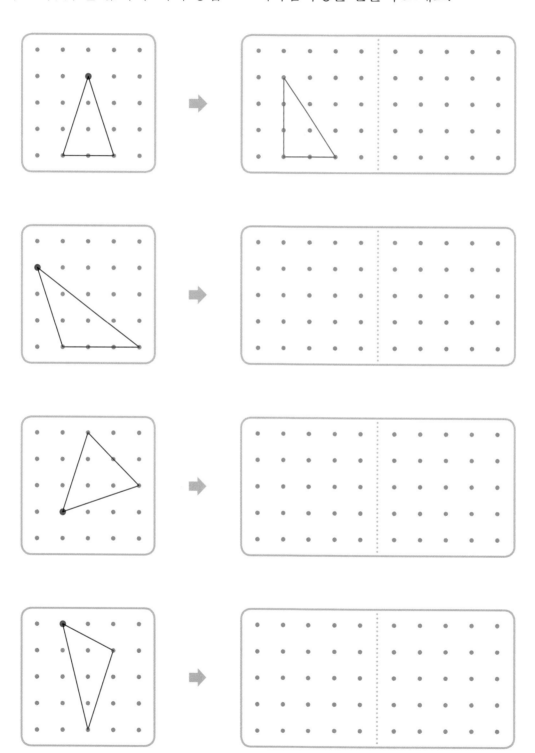

11 직각삼각형을 만들기 위해 ● 표시된 꼭짓점을 옮겨야 하는 곳의 번호를 써 보세요.

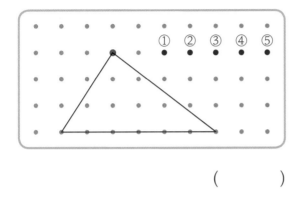

(   )

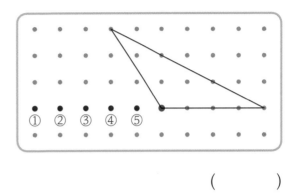

(   )

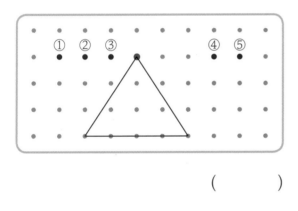

(   )

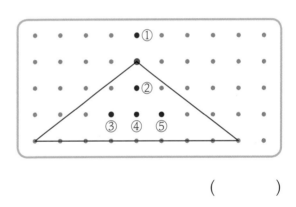

(   )

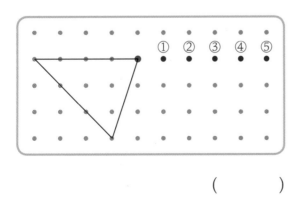

(   )

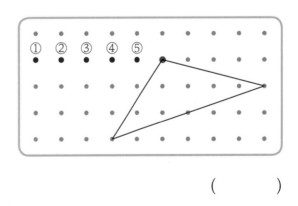

(   )

직각삼각형 찾기

선을 따라 색종이를 잘랐습니다. 직각삼각형인 조각에 모두 ◯표 하세요.

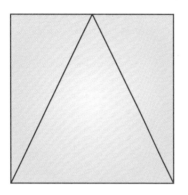

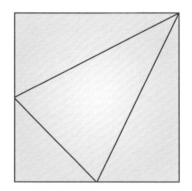

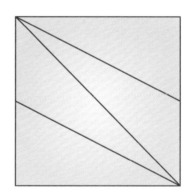

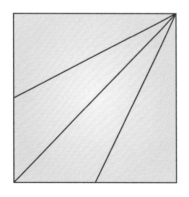

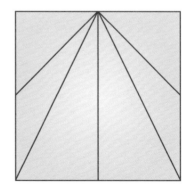

🎋 선을 따라 종이띠를 잘랐습니다. 자른 조각에서 직각삼각형의 개수를 세어 보세요.

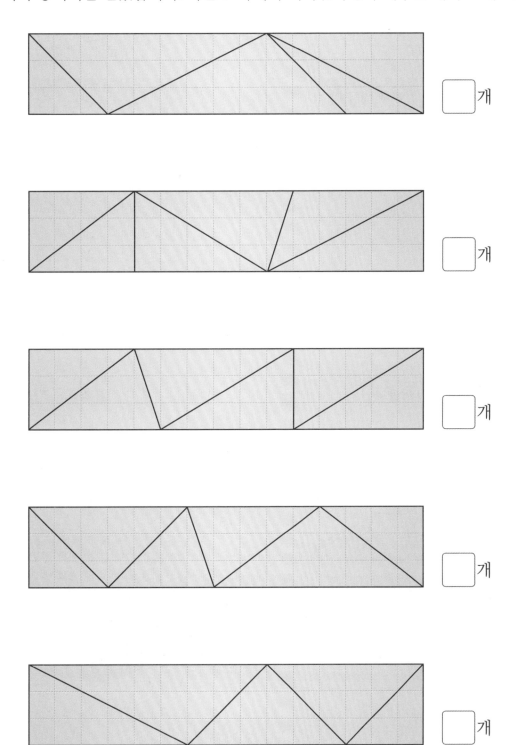

개

개

개

개

개

여러 가지 도형 퍼즐입니다. 퍼즐 조각 중에 직각삼각형인 조각의 개수를 세어 보세요.

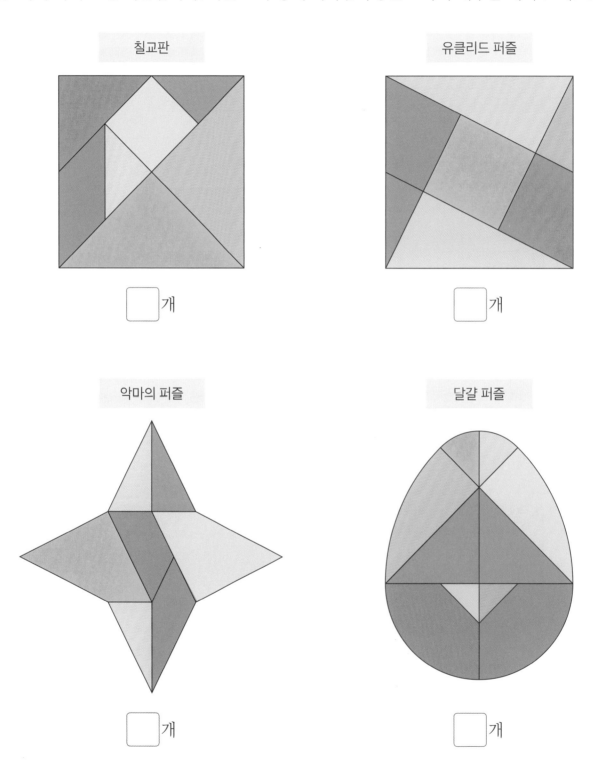

칠교판

⬜ 개

유클리드 퍼즐

⬜ 개

악마의 퍼즐

⬜ 개

달걀 퍼즐

⬜ 개

2주차
26~30일

직사각형

직사각형 알기

⬛ 직사각형을 찾아 모두 ◯표 하세요.

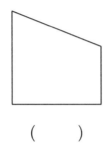

(   )

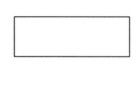

(   )

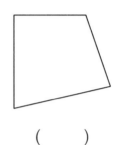

(   )

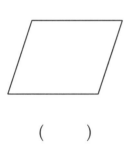

(   )

(   )

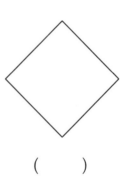

(   )

직사각형

사각형 중에서 네 각이 모두 직각인 사각형을 직사각형이라고 합니다.

11 직사각형을 찾아 모두 색칠해 보세요.

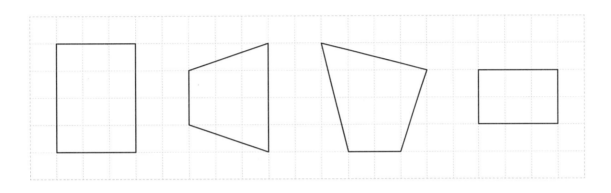

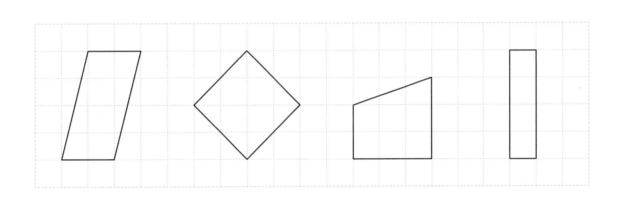

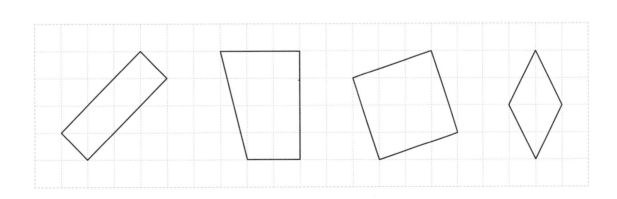

사각형 분류하기

알맞게 이어 보세요.

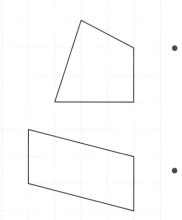

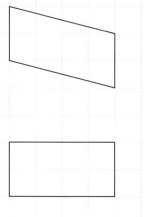

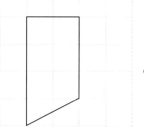

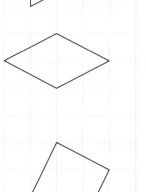

- 직각이 없는 사각형

- 직각이 1개인 사각형

- 직각이 2개인 사각형

- 직각이 3개인 사각형

- 직각이 4개인 사각형

11 사각형을 분류합니다. 빈칸에 알맞게 기호를 써넣으세요.

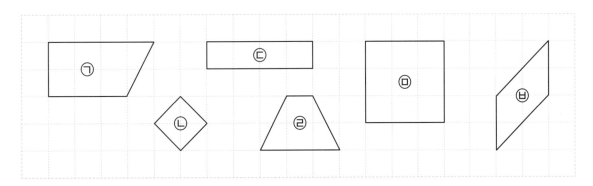

직각이 **4**개보다 작은 사각형	직각이 **4**개인 사각형

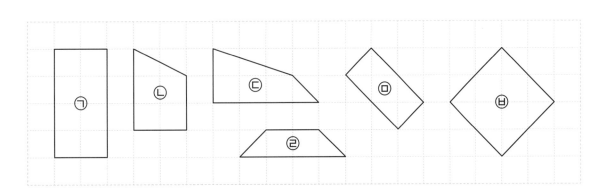

직사각형	직사각형이 아닌 사각형

직사각형 그리기 (1)

⑪ 네 점을 이어 사각형을 그리고, 직사각형에 ◯표 하세요.

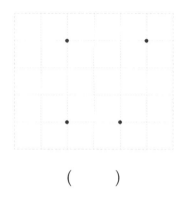

(   )

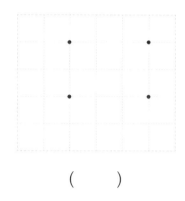

(   )

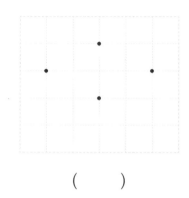

(   )

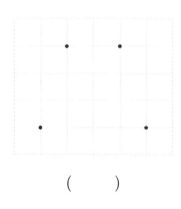

(   )

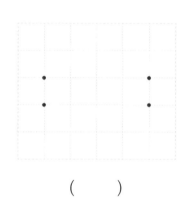

(   )

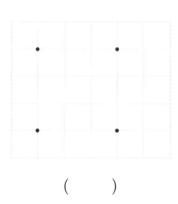

(   )

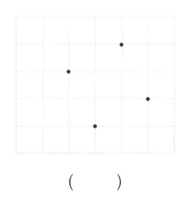

(   )

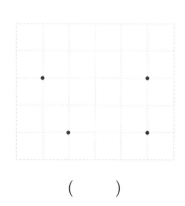

(   )

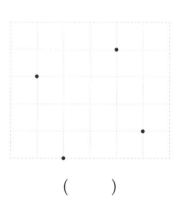

(   )

11 주어진 선분을 두 변으로 하는 직사각형을 그려 보세요.

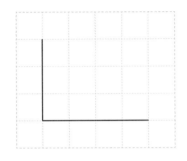 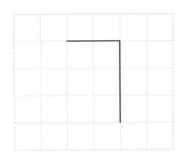 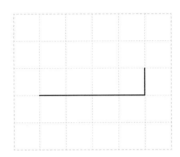

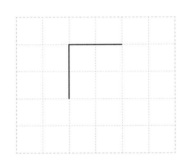 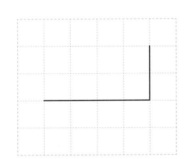 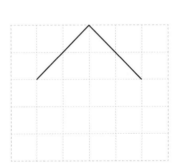

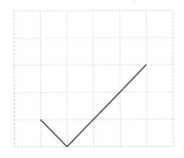 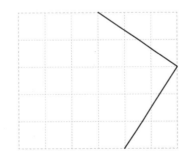 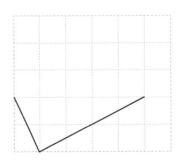

직사각형 그리기 (2)

꼭짓점 l개를 옮기면 직사각형을 만들 수 있습니다. 직사각형을 만들기 위해 옮겨야 하는 꼭짓점에 ○표 하고, 꼭짓점을 옮긴 직사각형을 그려 보세요.

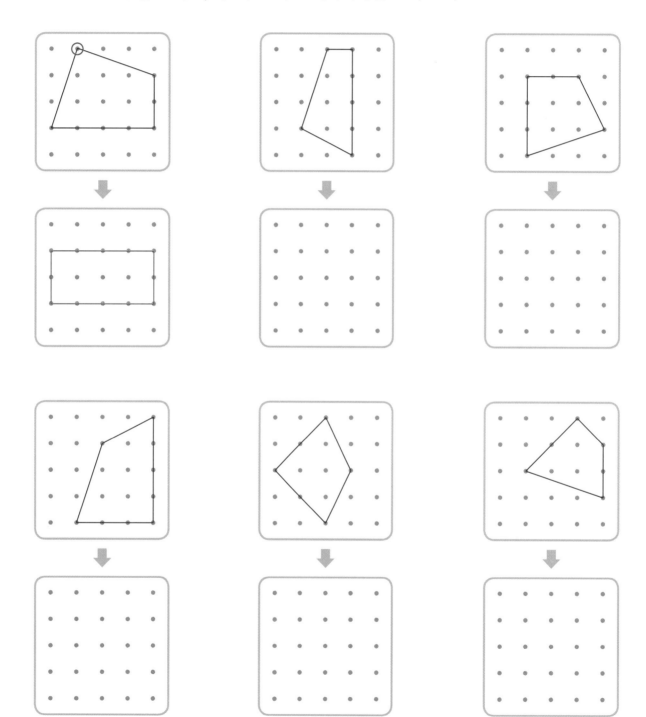

직사각형을 만들기 위해 ● 표시된 꼭짓점을 옮겨야 하는 곳의 번호를 써 보세요.

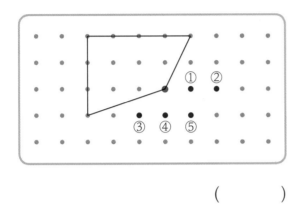

(   )

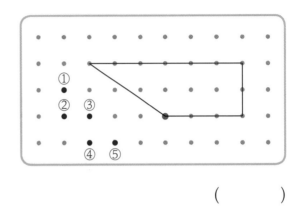

(   )

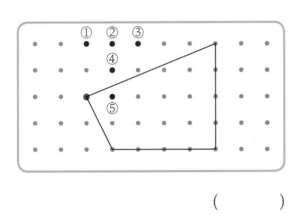

(   )

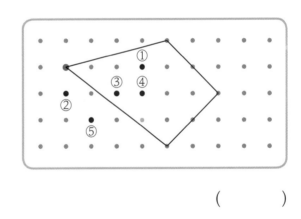

(   )

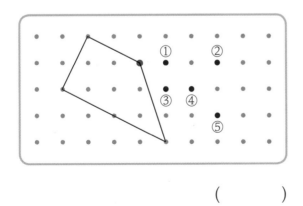

(   )

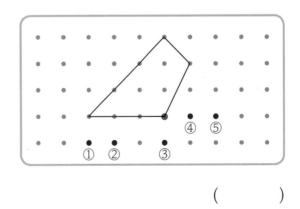

(   )

🔊 선을 따라 색종이를 잘랐습니다. 직사각형인 조각에 모두 ◯표 하세요.

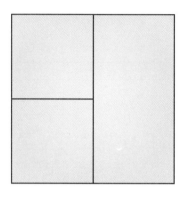
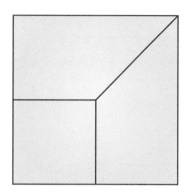

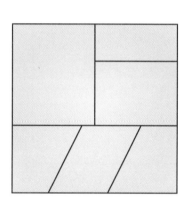

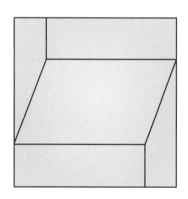
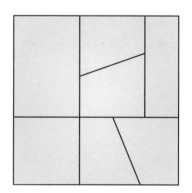

11 선을 따라 색종이를 잘랐습니다. 자른 조각에서 직각삼각형과 직사각형의 개수를 각각 세어 보세요.

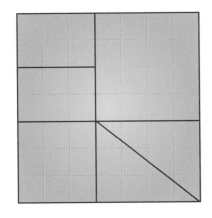

직각삼각형: ☐ 개

직사각형: ☐ 개

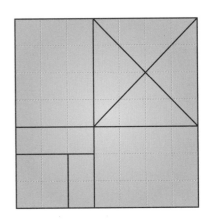

직각삼각형: ☐ 개

직사각형: ☐ 개

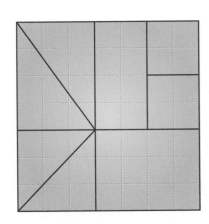

직각삼각형: ☐ 개

직사각형: ☐ 개

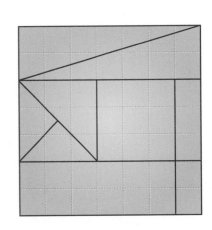

직각삼각형: ☐ 개

직사각형: ☐ 개

選을 따라 색종이를 잘랐습니다. 물음에 답하세요.

자른 조각에서 직각삼각형은 직사각형보다 몇 개 더 많은가요?

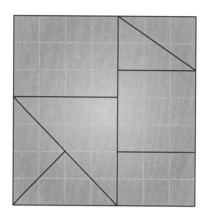

(   )개

자른 조각에서 직사각형은 직각삼각형보다 몇 개 더 많은가요?

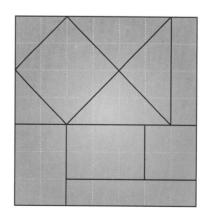

(   )개

3주차
31~35일

정사각형

정사각형 알기

⓫ 정사각형을 찾아 모두 ◯표 하세요.

(   )

(   )

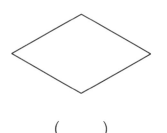

(   )

(   )

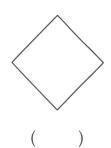

(   )

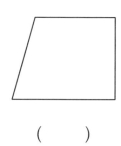

(   )

정사각형

사각형 중에서 네 각이 모두 직각이고, 네 변의 길이가 모두 같은 사각형을 정사각형이라고 합니다.

모든 정사각형은 직사각형입니다.

4 정사각형을 찾아 모두 색칠해 보세요.

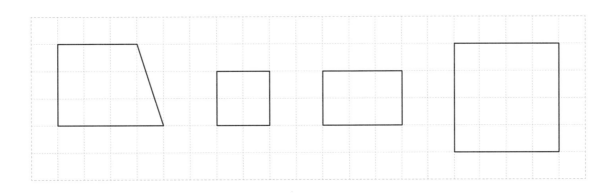

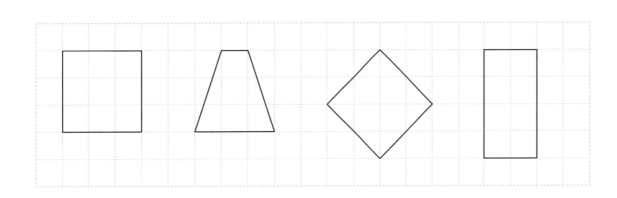

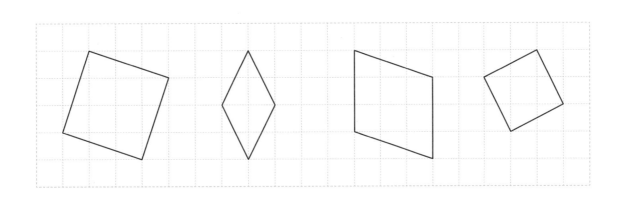

직사각형과 정사각형

🔢 빈칸에 알맞게 도형의 기호를 써넣으세요.

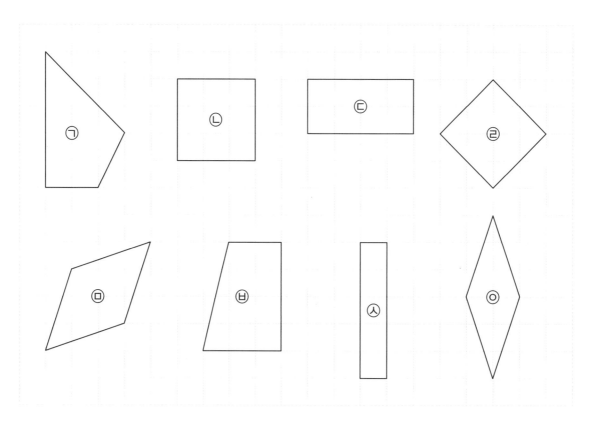

네 각이 모두 직각인 사각형	네 변의 길이가 모두 같은 사각형

네 각이 모두 직각이고,
네 변의 길이가 모두 같은 사각형

⚡ 옳은 말에는 ○표, 틀린 말에는 ✕표 하세요.

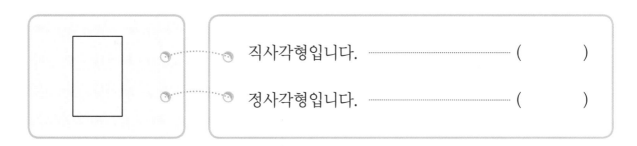

직사각형입니다. ──────── ( )

정사각형입니다. ──────── ( )

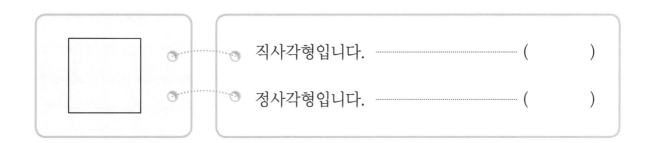

직사각형입니다. ──────── ( )

정사각형입니다. ──────── ( )

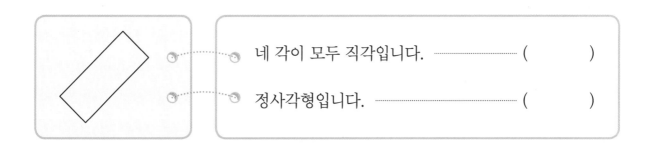

네 각이 모두 직각입니다. ──── ( )

정사각형입니다. ──────── ( )

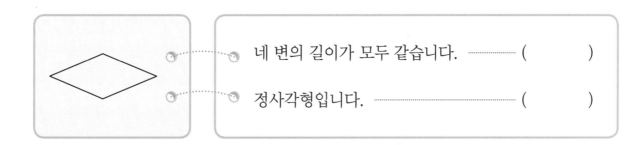

네 변의 길이가 모두 같습니다. ── ( )

정사각형입니다. ──────── ( )

네 점을 이어 사각형을 그리고, 정사각형에 ◯표 하세요.

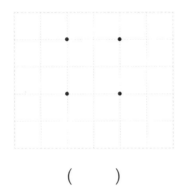
( )

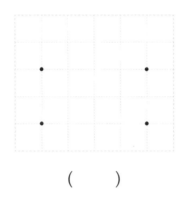
( )

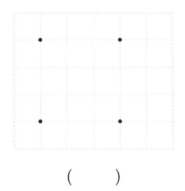
( )

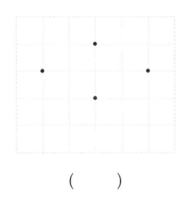
( )

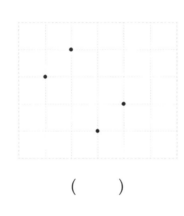
( )

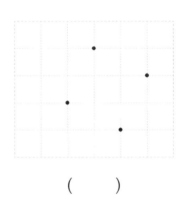
( )

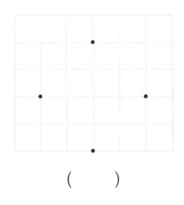
( )

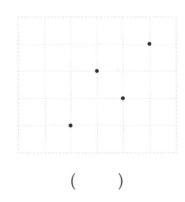
( )

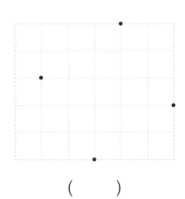
( )

⑪ 주어진 선분을 한 변으로 하는 정사각형을 그려 보세요.

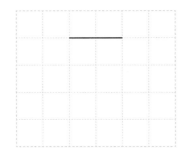
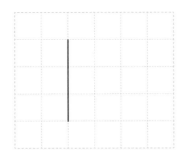
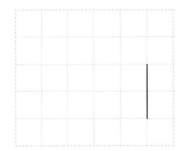

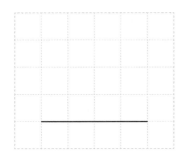
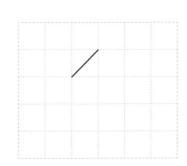
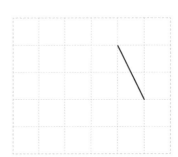

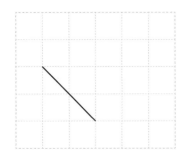
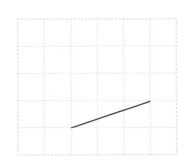
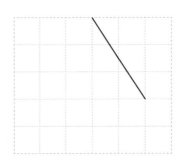

변의 길이 (1)

💬 한 칸이 1cm인 모눈입니다. 설명에 맞는 사각형을 그려 보세요.

짧은 변이 **2**cm,
긴 변이 **5**cm인 직사각형

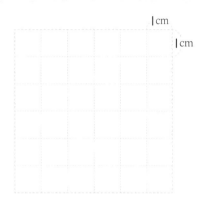

짧은 변이 **3**cm,
긴 변이 **6**cm인 직사각형

짧은 변이 **3**cm, 긴 변은 짧은
변보다 **1**cm 더 긴 직사각형

긴 변이 **4**cm, 짧은 변은 긴 변
보다 **3**cm 더 짧은 직사각형

💬 한 칸이 1cm인 모눈입니다. 설명에 맞는 사각형을 그려 보세요.

한 변이 4cm인 정사각형

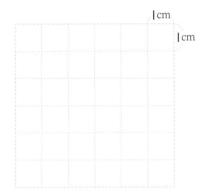

한 변이 5cm인 정사각형

네 변의 길이의 합이
8cm인 정사각형

네 변의 길이의 합이
12cm인 정사각형

변의 길이 (2)

⓫ 빈칸에 알맞은 수를 써넣으세요.

직사각형

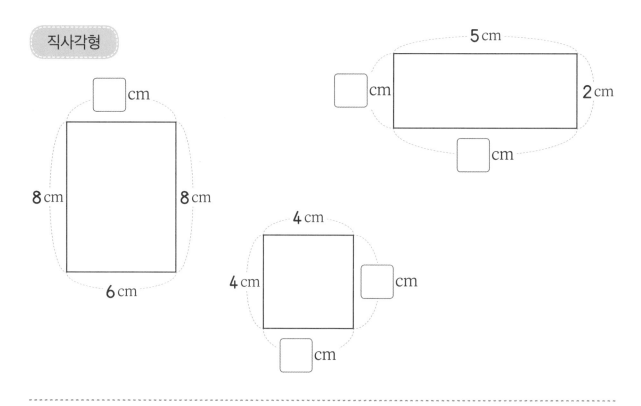

정사각형

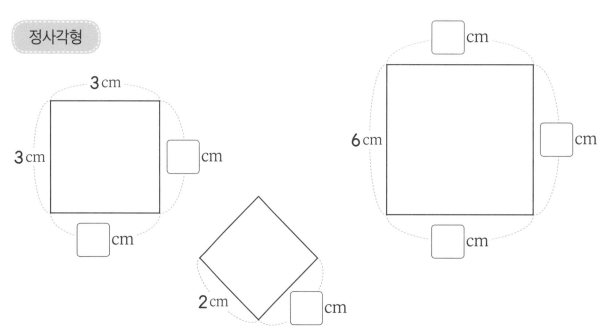

🗨 물음에 답하세요.

> 짧은 변이 **4** cm, 긴 변이 **5** cm인 직사각형의 네 변의 길이의 합은 몇 cm일까요?

5 cm

4 cm

(   )cm

> 한 변이 **3** cm인 정사각형의 네 변의 길이의 합은 몇 cm일까요?

3 cm

(   )cm

> 네 변의 합이 **20** cm인 정사각형이 있습니다. 이 정사각형의 한 변의 길이는 몇 cm일까요?

20 cm

(   )cm

물음에 답하세요.

한 변이 2cm인 정사각형 2개를 이어 붙여 직사각형을 만들었습니다. 만들어진 직사각형의 네 변의 길이의 합은 몇 cm일까요?

(   )cm

한 변이 각각 3cm, 4cm인 정사각형을 이어 붙였습니다. 색칠된 직사각형의 네 변의 길이의 합은 몇 cm일까요?

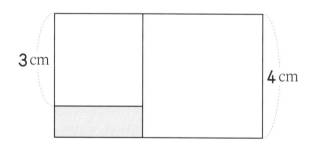

(   )cm

4주차
36~40일

직각이 있는 도형

도형의 이름

💬 도형의 이름이 될 수 있는 것에 모두 ◯표 하세요.

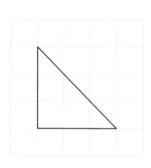

삼각형
직각삼각형
사각형
직사각형
정사각형

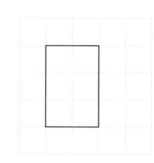

삼각형
직각삼각형
사각형
직사각형
정사각형

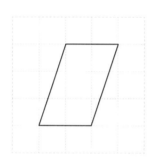

삼각형
직각삼각형
사각형
직사각형
정사각형

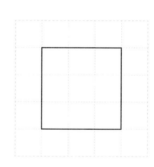

삼각형
직각삼각형
사각형
직사각형
정사각형

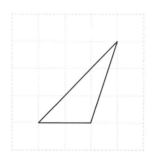

삼각형
직각삼각형
사각형
직사각형
정사각형

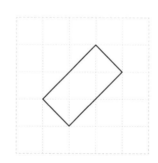

삼각형
직각삼각형
사각형
직사각형
정사각형

ary>

아래에서 도형의 이름이 될 수 있는 것을 찾아 모두 써 보세요.

| 삼각형 | 사각형 | 직각삼각형 | 직사각형 | 정사각형 |

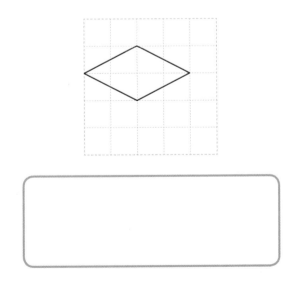

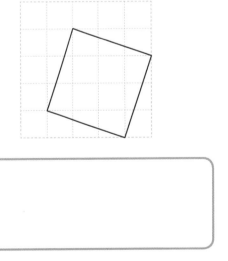

🔢 물음에 답하세요.

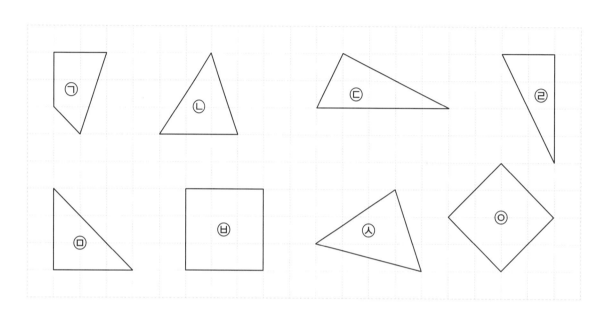

삼각형을 찾아 모두 기호를 써 보세요.　(　　　　　　)

직각삼각형을 찾아 모두 기호를 써 보세요.　(　　　　　　)

📎 직각삼각형은 삼각형에 포함됩니다.

🔟 삼각형과 직각삼각형의 개수를 세어 보세요.

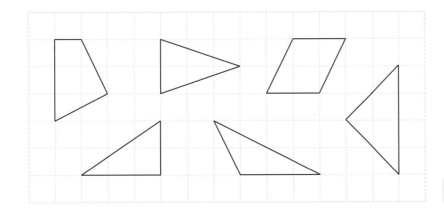

삼각형 _____ 개

직각삼각형 _____ 개

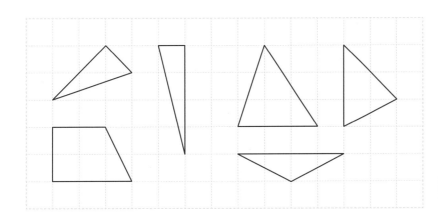

삼각형 _____ 개

직각삼각형 _____ 개

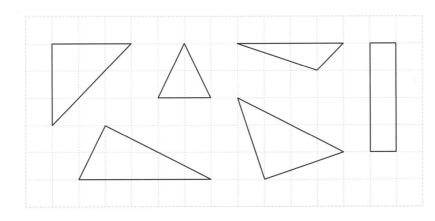

삼각형 _____ 개

직각삼각형 _____ 개

🟠 물음에 답하세요.

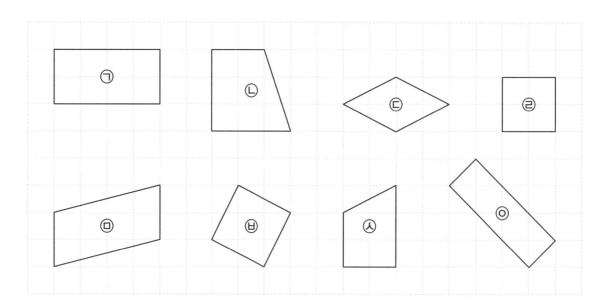

네 각이 모두 직각인 사각형을 찾아 모두 기호를 써 보세요.

(   )

네 변의 길이가 모두 같은 사각형을 찾아 모두 기호를 써 보세요.

(   )

네 각이 모두 직각이고, 네 변의 길이가 모두 같은 사각형을 찾아 모두 기호를 써 보세요.

(   )

⑪ 직사각형과 정사각형의 개수를 세어 보세요.

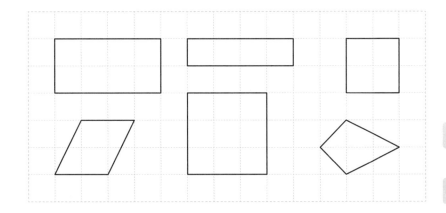

직사각형 _____ 개

정사각형 _____ 개

정사각형은 직사각형에 포함됩니다.

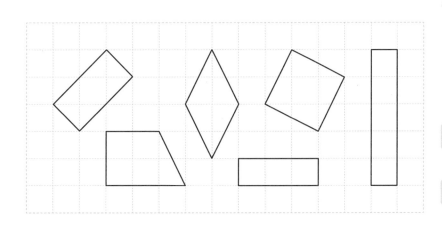

직사각형 _____ 개

정사각형 _____ 개

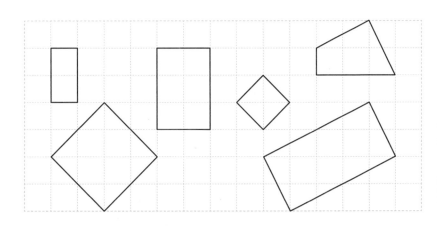

직사각형 _____ 개

정사각형 _____ 개

💬 물음에 답하세요.

> ㉠ 꼭짓점이 **3**개입니다.　　㉡ 꼭짓점이 **4**개입니다.
>
> ㉢ 세 변의 길이가 같습니다.　㉣ 네 변의 길이가 같습니다.
>
> ㉤ 한 각이 직각입니다.　　　㉥ 세 각이 직각입니다.
>
> ㉦ 네 각이 직각입니다.

직각삼각형에 대한 설명으로 옳은 것의 기호를 모두 써 보세요.

(　　　　　　　)

직사각형에 대한 설명으로 옳은 것의 기호를 모두 써 보세요.

(　　　　　　　)

정사각형에 대한 설명으로 옳은 것의 기호를 모두 써 보세요.

(　　　　　　　)

바르게 설명한 것에 ◯표, 잘못 설명한 것에 ✕표 하세요.

세 각이 직각인 삼각형을 직각삼각형이라고 합니다. ⸺⸺⸺ ( )

정사각형의 네 각은 모두 직각입니다. ⸺⸺⸺ ( )

직사각형은 네 변의 길이가 모두 같습니다. ⸺⸺⸺ ( )

직사각형은 직각이 **4**개입니다. ⸺⸺⸺ ( )

정사각형은 직사각형이라고 할 수 있습니다. ⸺⸺⸺ ( )

직사각형은 정사각형이라고 할 수 있습니다. ⸺⸺⸺ ( )

💬 빈칸에 알맞은 도형의 기호를 써넣으세요.

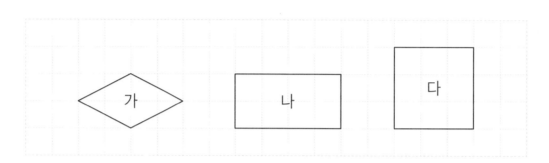

☐ , ☐ 는 네 각이 모두 직각이므로 직사각형입니다.

☐ 는 네 각이 모두 직각이고, 네 변의 길이가 모두 같으므로 정사각형입니다.

☐ 는 네 변의 길이가 모두 같지만

네 각이 모두 직각이 아니므로 정사각형이 아닙니다.

☐ 는 네 각이 모두 직각이지만

네 변의 길이가 모두 같지 않으므로 정사각형이 아닙니다.

🔢 두 도형의 같은 점과 다른 점을 각각 하나씩 써 보세요.

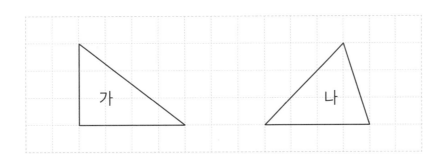

같은 점

_____

다른 점

_____

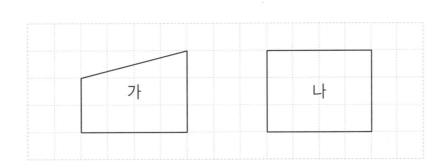

같은 점

_____

다른 점

_____

각 도형이 아닌 이유를 써 보세요.

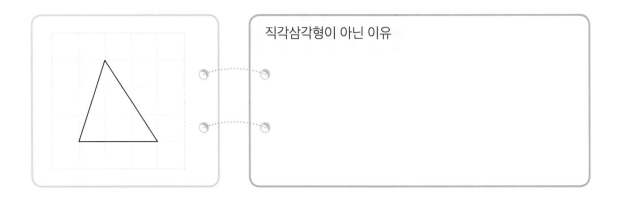

직각삼각형이 아닌 이유

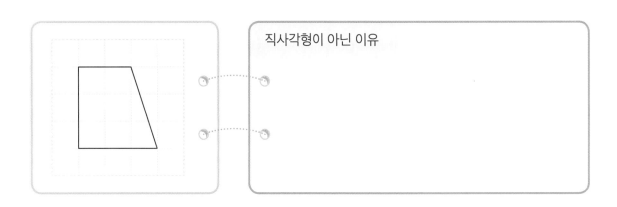

직사각형이 아닌 이유

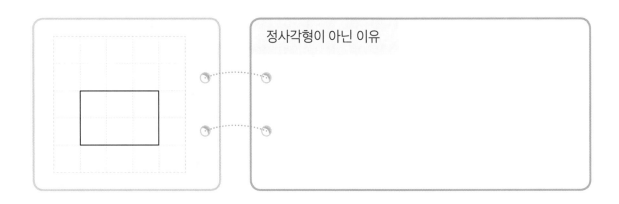

정사각형이 아닌 이유

도형 플러스+
- 크고 작은 도형 -

▶ 빈칸에 알맞은 수를 써넣어 크고 작은 직각삼각형의 개수를 구해 보세요.

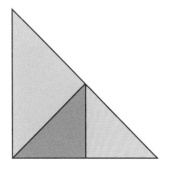

삼각형 **1**개로 이루어진 직각삼각형	**3**	개
삼각형 **2**개로 이루어진 직각삼각형		개
삼각형 **3**개로 이루어진 직각삼각형		개

➡ 크고 작은 직각삼각형은 모두 ☐ 개입니다.

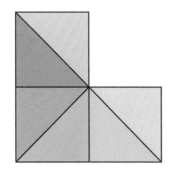

삼각형 **1**개로 이루어진 직각삼각형	개
삼각형 **2**개로 이루어진 직각삼각형	개
삼각형 **4**개로 이루어진 직각삼각형	개

➡ 크고 작은 직각삼각형은 모두 ☐ 개입니다.

▶ 크고 작은 직각삼각형의 개수를 구해 보세요.

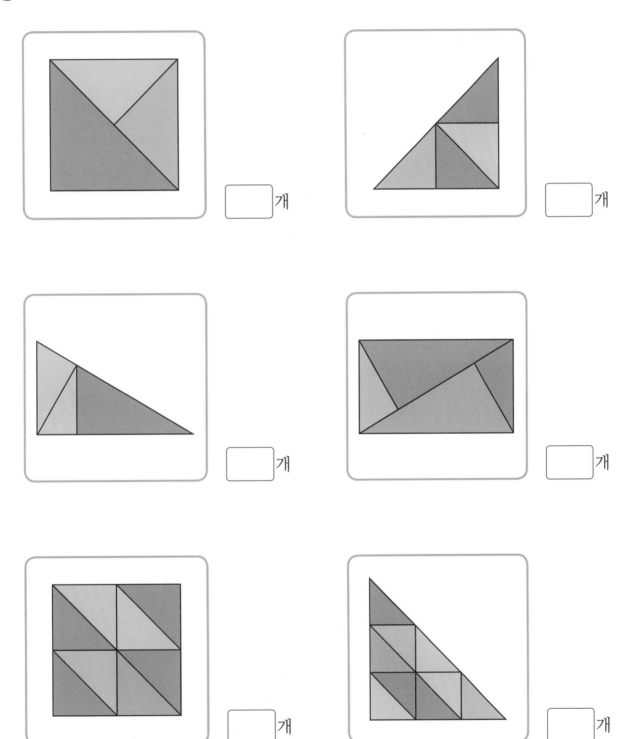

개

개

개

개

개

개

직사각형의 개수

▶ 빈칸에 알맞은 수를 써넣어 크고 작은 직사각형의 개수를 구해 보세요.

파나마 국기

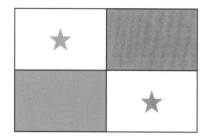

사각형 I개로 이루어진 직사각형	개
사각형 2개로 이루어진 직사각형	개
사각형 4개로 이루어진 직사각형	개

➡ 크고 작은 직사각형은 모두 ☐개입니다.

아랍에미리트 국기

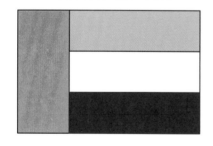

사각형 I개로 이루어진 직사각형	개
사각형 2개로 이루어진 직사각형	개
사각형 3개로 이루어진 직사각형	개
사각형 4개로 이루어진 직사각형	개

➡ 크고 작은 직사각형은 모두 ☐개입니다.

크고 작은 직사각형의 개수를 구해 보세요.

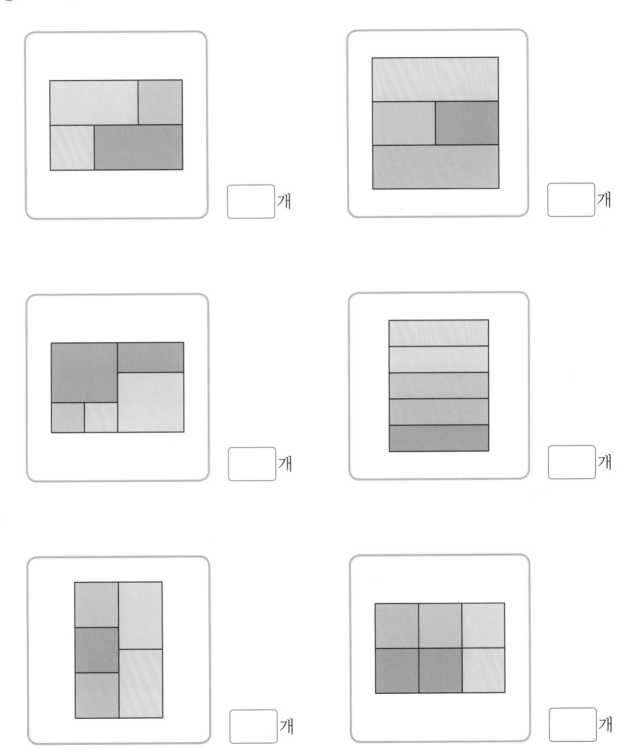

개

개

개

개

개

개

▶ 빈칸에 알맞은 수를 써넣어 크고 작은 정사각형의 개수를 구해 보세요.

한 변이 작은 정사각형의 한 변과 같은 정사각형	4	개
한 변이 작은 정사각형의 두 변과 같은 정사각형		개

➡ 크고 작은 정사각형은 모두 ☐ 개입니다.

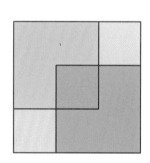

한 변이 작은 정사각형의 한 변과 같은 정사각형	개
한 변이 작은 정사각형의 두 변과 같은 정사각형	개
한 변이 작은 정사각형의 세 변과 같은 정사각형	개

➡ 크고 작은 정사각형은 모두 ☐ 개입니다.

▶ 크고 작은 정사각형의 개수를 구해 보세요.

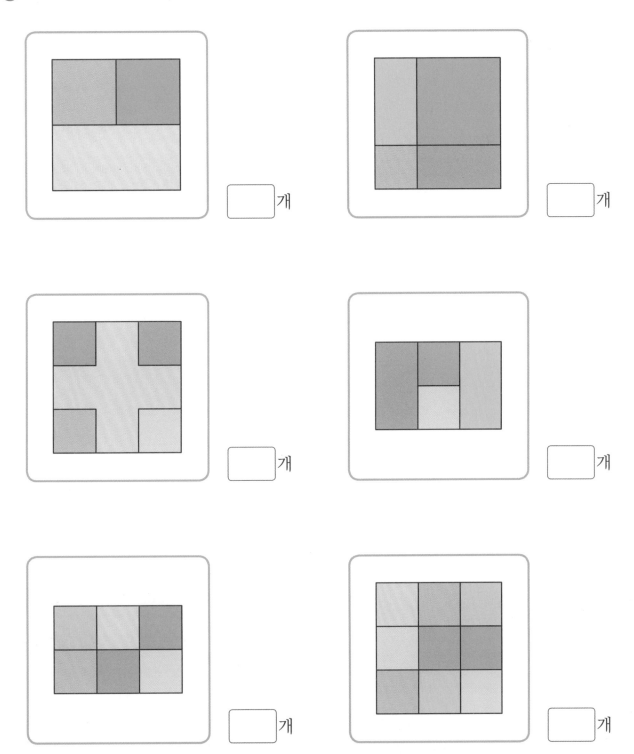

memo

형성평가

1 직각삼각형을 찾아 모두 ◯표 하세요.

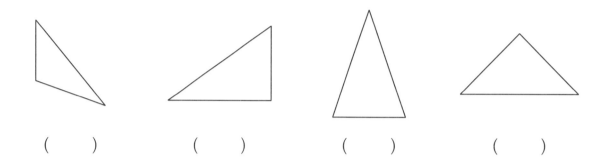

(　　　)　　　　(　　　)　　　　(　　　)　　　　(　　　)

2 정사각형은 모두 몇 개일까요?

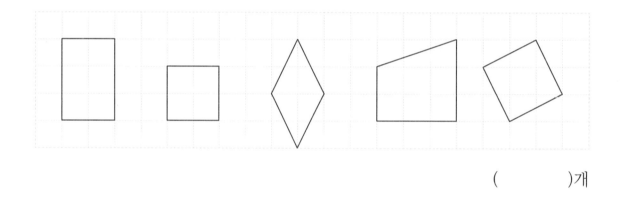

(　　　　　)개

3 알맞은 말에 ◯표 하세요.

(한 , 두 , 세) 각이 직각인 삼각형을 직각삼각형이라고 합니다.

(한 , 두 , 네) 각이 직각인 사각형을 직사각형이라고 합니다.

4 정사각형에 대하여 바르게 설명한 것의 기호를 모두 써 보세요.

> ⊙ 꼭짓점이 **4**개입니다.
>
> ⓒ 네 각이 모두 직각입니다.
>
> ⓒ 네 변이 길이가 다른 정사각형도 있습니다.

(   )

5 꼭짓점 ㄱ을 옮겨 정사각형을 만들려고 합니다. 꼭짓점 ㄱ을 몇 번으로 옮겨야 할까요?

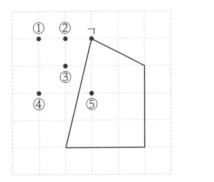

(   )

6 정사각형 **3**개를 이어 붙였습니다. 정사각형 가의 네 변의 길이의 합은 몇 cm일까요?

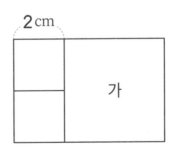

(   )cm

1 직사각형을 찾아 모두 색칠해 보세요.

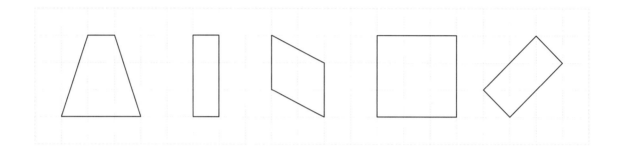

2 주어진 선분을 한 변으로 하는 정사각형을 그려 보세요.

3 도형의 이름이 될 수 있는 것을 모두 찾아 기호를 써 보세요.

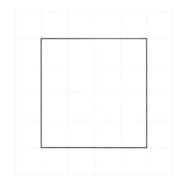

㉠ 직각삼각형　　　㉡ 사각형

㉢ 직사각형　　　㉣ 정사각형

(　　　　　　　　)

4 네 점 중 세 점을 이어 직각삼각형을 그려 보세요.

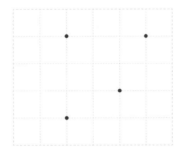

5 선을 따라 색종이를 잘랐습니다. 자른 조각에서 직각삼각형과 직사각형의 개수를 각각 세어 보세요.

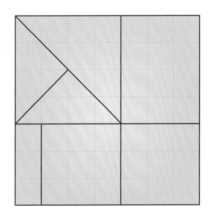

직각삼각형: (   )개

직사각형: (   )개

6 칠교판 조각으로 모양을 만들었습니다. 크고 작은 직각삼각형은 모두 몇 개일까요?

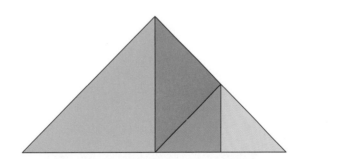

(   )개

memo

교과도형 정답

초3

C2

직각이 있는 도형

정 답

C2
직각이 있는 도형

1주차 직각삼각형

21일 직각삼각형 알기

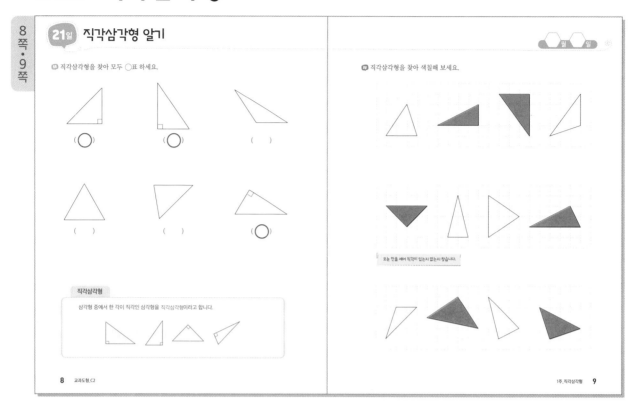

직각삼각형을 찾아 모두 ○표 하세요.

직각삼각형

삼각형 중에서 한 각이 직각인 삼각형을 직각삼각형이라고 합니다.

직각삼각형을 찾아 색칠해 보세요.

모눈 칸을 세어 직각이 있는지 없는지 찾습니다.

22일 삼각형 분류하기

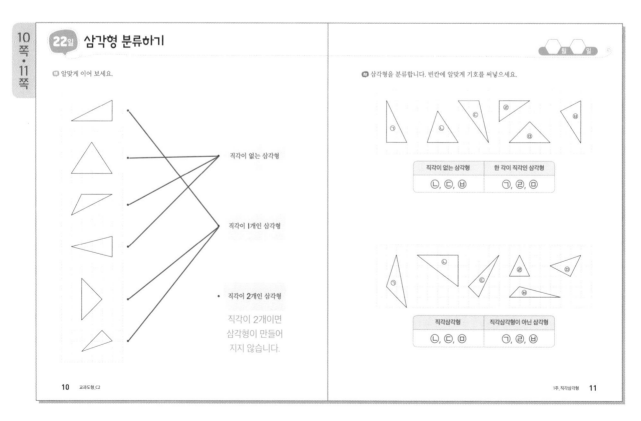

알맞게 이어 보세요.

직각이 없는 삼각형

직각이 1개인 삼각형

• 직각이 2개인 삼각형

직각이 2개이면
삼각형이 만들어
지지 않습니다.

삼각형을 분류합니다. 빈칸에 알맞게 기호를 써넣으세요.

직각이 없는 삼각형	한 각이 직각인 삼각형
㉤, ㉢, ㉥	㉠, ㉣, ㉱

직각삼각형	직각삼각형이 아닌 삼각형
㉤, ㉢, ㉱	㉠, ㉣, ㉥

23일 직각삼각형 그리기 (1)

11 세 점을 이어 삼각형을 그리고, 직각삼각형에 ○표 하세요.

17 주어진 선분을 한 변으로 하는 직각삼각형을 2개씩 그려 보세요.

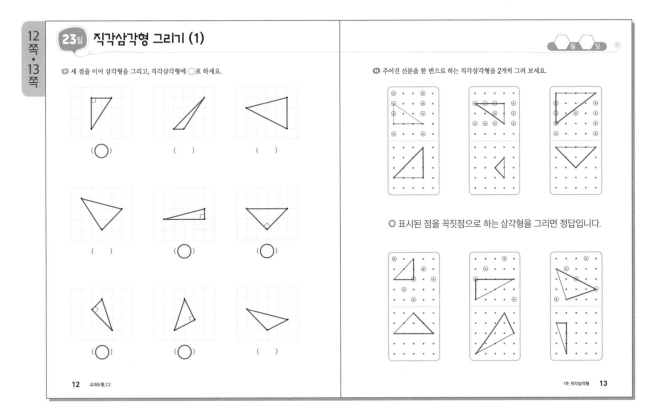

○ 표시된 점을 꼭짓점으로 하는 삼각형을 그리면 정답입니다.

24일 직각삼각형 그리기 (2)

13 표시된 꼭짓점을 옮겨 두 가지 방법으로 직각삼각형을 만들어 보세요.

14 직각삼각형을 만들기 위해 표시된 꼭짓점을 옮겨야 하는 곳의 번호를 써 보세요.

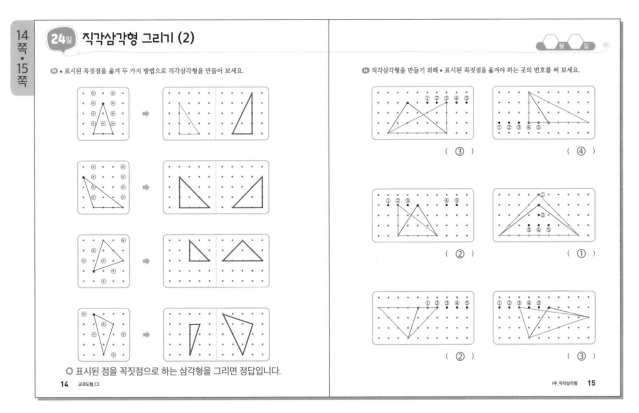

○ 표시된 점을 꼭짓점으로 하는 삼각형을 그리면 정답입니다.

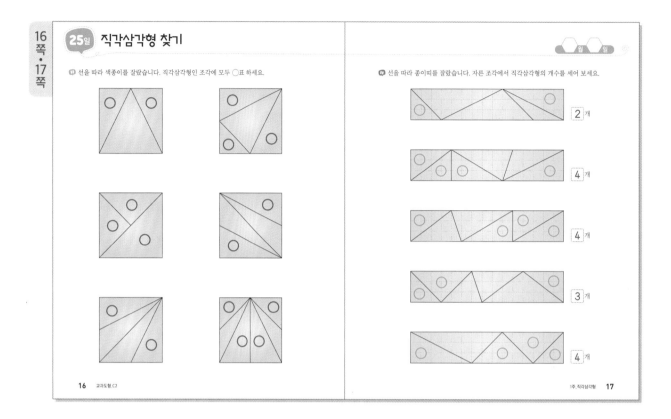

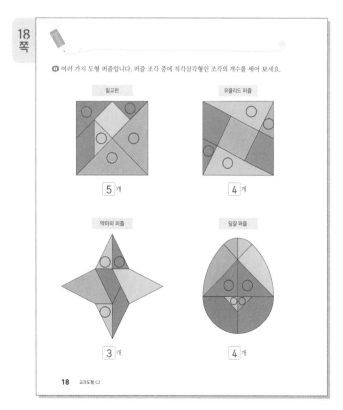

16쪽·17쪽

25일 직각삼각형 찾기

13 선을 따라 색종이를 잘랐습니다. 직각삼각형인 조각에 모두 ○표 하세요.

14 선을 따라 종이띠를 잘랐습니다. 자른 조각에서 직각삼각형의 개수를 세어 보세요.

2 개

4 개

4 개

3 개

4 개

18쪽

15 여러 가지 도형 퍼즐입니다. 퍼즐 조각 중에 직각삼각형인 조각의 개수를 세어 보세요.

칠교판

유클리드 퍼즐

5 개

4 개

악마의 퍼즐

달걀 퍼즐

3 개

4 개

26일 직사각형 알기

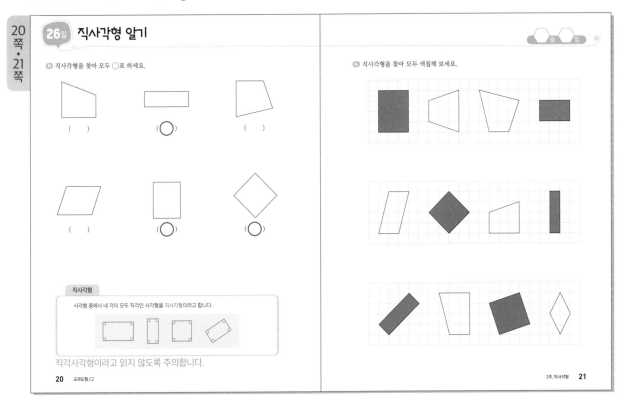

직사각형

사각형 중에서 네 각이 모두 직각인 사각형을 직사각형이라고 합니다.

직각사각형이라고 읽지 않도록 주의합니다.

27일 사각형 분류하기

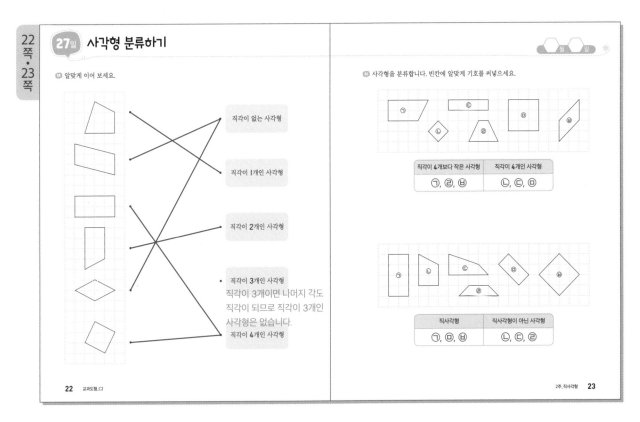

직각이 4개보다 작은 사각형	직각이 4개인 사각형
㉠, ㉢, ㉤	㉡, ㉢, ㉣

직사각형	직사각형이 아닌 사각형
㉠, ㉤, ㉥	㉡, ㉢, ㉣

직각이 3개이면 나머지 각도 직각이 되므로 직각이 3개인 사각형은 없습니다.

28일 **직사각형 그리기 (1)**

네 점을 이어 사각형을 그리고, 직사각형에 ◯표 하세요.

( )　　　　(◯)　　　　( )

( )　　　　(◯)　　　　(◯)

(◯)　　　　( )　　　　(◯)

주어진 선분을 두 변으로 하는 직사각형을 그려 보세요.

29일 **직사각형 그리기 (2)**

꼭짓점 1개를 옮기면 직사각형을 만들 수 있습니다. 직사각형을 만들기 위해 옮겨야 하는 꼭짓점에 ◯표 하고, 꼭짓점을 옮긴 직사각형을 그려 보세요.

직사각형을 만들기 위해 ●표시된 꼭짓점을 옮겨야 하는 곳의 번호를 써 보세요.

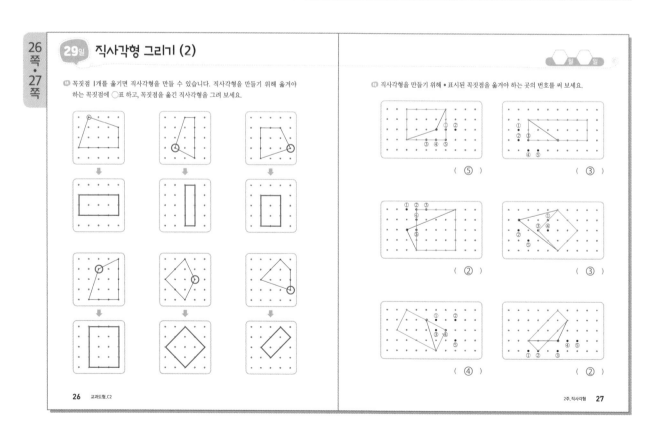

(⑤)　　　　(③)

(②)　　　　(③)

(④)　　　　(②)

30일 도형 찾기

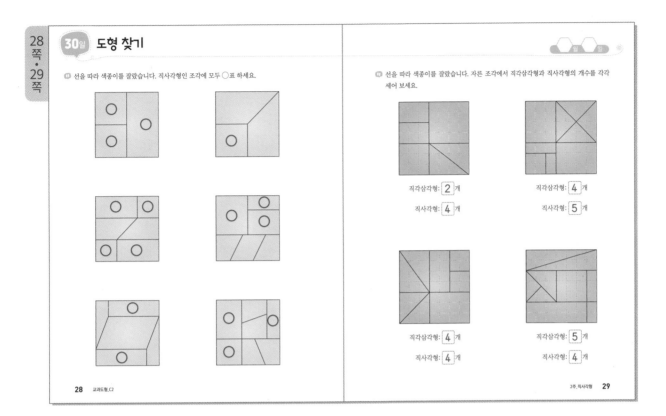

선을 따라 색종이를 잘랐습니다. 직사각형인 조각에 모두 ○표 하세요.

선을 따라 색종이를 잘랐습니다. 자른 조각에서 직각삼각형과 직사각형의 개수를 각각 세어 보세요.

직각삼각형: 2 개
직사각형: 4 개

직각삼각형: 4 개
직사각형: 5 개

직각삼각형: 4 개
직사각형: 4 개

직각삼각형: 5 개
직사각형: 4 개

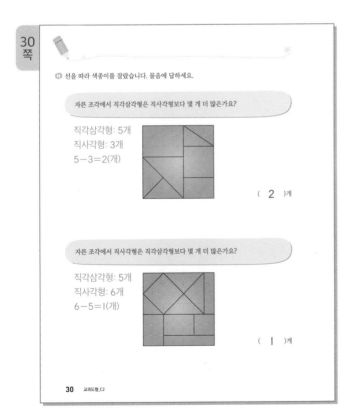

선을 따라 색종이를 잘랐습니다. 물음에 답하세요.

자른 조각에서 직각삼각형은 직사각형보다 몇 개 더 많은가요?

직각삼각형: 5개
직사각형: 3개
5−3=2(개)

(2)개

자른 조각에서 직사각형은 직각삼각형보다 몇 개 더 많은가요?

직각삼각형: 5개
직사각형: 6개
6−5=1(개)

(1)개

정답

3주차 정사각형

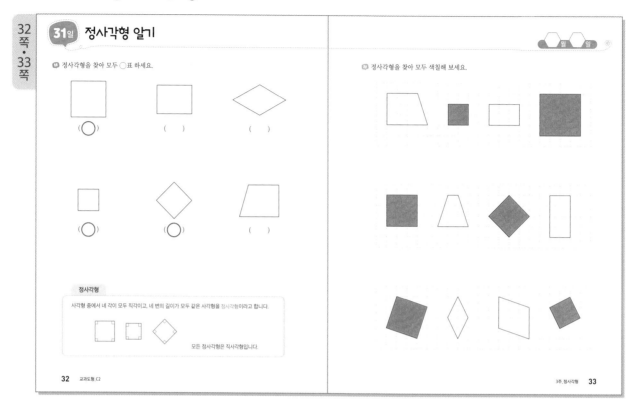

31일 정사각형 알기

정사각형을 찾아 모두 ◯표 하세요.

(◯) ( ) ( )

(◯) (◯) ( )

정사각형

사각형 중에서 네 각이 모두 직각이고, 네 변의 길이가 모두 같은 사각형을 정사각형이라고 합니다.

모든 정사각형은 직사각형입니다.

정사각형을 찾아 모두 색칠해 보세요.

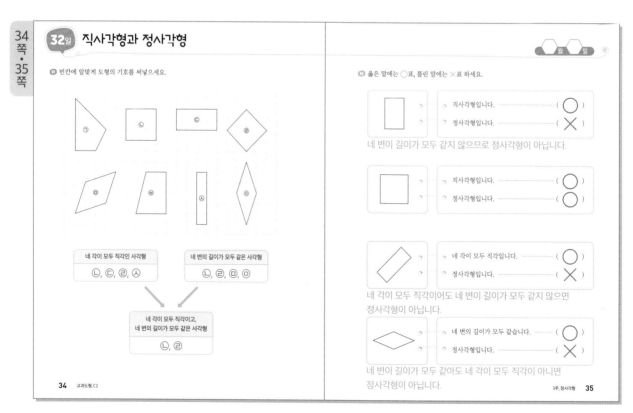

32일 직사각형과 정사각형

빈칸에 알맞게 도형의 기호를 써넣으세요.

네 각이 모두 직각인 사각형	네 변의 길이가 모두 같은 사각형
㉡, ㉢, ㉣, ㉦	㉡, ㉣, ㉤, ㉥

네 각이 모두 직각이고,
네 변의 길이가 모두 같은 사각형

㉡, ㉣

옳은 말에는 ◯표, 틀린 말에는 ×표 하세요.

ㄱ 직사각형입니다. ──── (◯)
ㄴ 정사각형입니다. ──── (×)

네 변이 길이가 모두 같지 않으므로 정사각형이 아닙니다.

ㄱ 직사각형입니다. ──── (◯)
ㄴ 정사각형입니다. ──── (◯)

ㄱ 네 각이 모두 직각입니다. ──── (◯)
ㄴ 정사각형입니다. ──── (×)

네 각이 모두 직각이어도 네 변이 길이가 모두 같지 않으면
정사각형이 아닙니다.

ㄱ 네 변의 길이가 모두 같습니다. ──── (◯)
ㄴ 정사각형입니다. ──── (×)

네 변이 길이가 모두 같아도 네 각이 모두 직각이 아니면
정사각형이 아닙니다.

33일 정사각형 그리기

① 네 점을 이어 사각형을 그리고, 정사각형에 ◯표 하세요.

① 주어진 선분을 한 변으로 하는 정사각형을 그려 보세요.

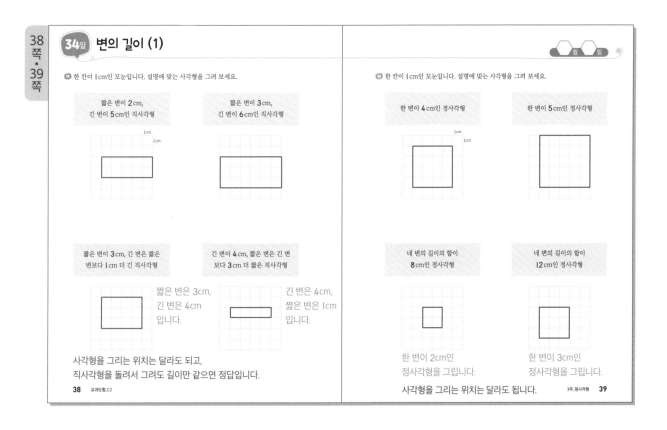

또는

34일 변의 길이 (1)

① 한 칸이 1cm인 모눈입니다. 설명에 맞는 사각형을 그려 보세요.

① 한 칸이 1cm인 모눈입니다. 설명에 맞는 사각형을 그려 보세요.

짧은 변이 2cm,
긴 변이 5cm인 직사각형

짧은 변이 3cm,
긴 변이 6cm인 직사각형

한 변이 4cm인 정사각형

한 변이 5cm인 정사각형

1cm
1cm

1cm
1cm

짧은 변이 3cm, 긴 변은 짧은
변보다 1cm 더 긴 직사각형

긴 변이 4cm, 짧은 변은 긴 변
보다 3cm 더 짧은 직사각형

네 변의 길이의 합이
8cm인 정사각형

네 변의 길이의 합이
12cm인 정사각형

짧은 변은 3cm,
긴 변은 4cm
입니다.

긴 변은 4cm,
짧은 변은 1cm
입니다.

사각형을 그리는 위치는 달라도 되고,
직사각형을 돌려서 그려도 길이만 같으면 정답입니다.

한 변이 2cm인
정사각형을 그립니다.

한 변이 3cm인
정사각형을 그립니다.

사각형을 그리는 위치는 달라도 됩니다.

정답

35일 변의 길이 (2)

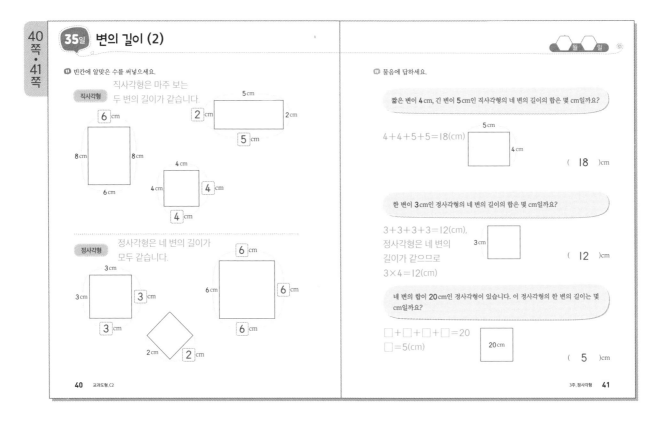

① 빈칸에 알맞은 수를 써넣으세요.

직사각형은 마주 보는
직사각형 두 변의 길이가 같습니다.

정사각형은 네 변의 길이가
정사각형 모두 같습니다.

② 물음에 답하세요.

짧은 변이 4cm, 긴 변이 5cm인 직사각형의 네 변의 길이의 합은 몇 cm일까요?

4+4+5+5=18(cm)

(18)cm

한 변이 3cm인 정사각형의 네 변의 길이의 합은 몇 cm일까요?

3+3+3+3=12(cm),
정사각형은 네 변의
길이가 같으므로
3×4=12(cm)

(12)cm

네 변의 합이 20cm인 정사각형이 있습니다. 이 정사각형의 한 변의 길이는 몇 cm일까요?

□+□+□+□=20
□=5(cm)

(5)cm

③ 물음에 답하세요.

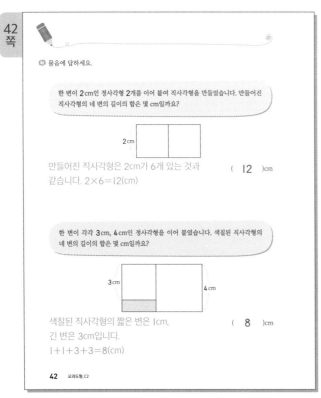

한 변이 2cm인 정사각형 2개를 이어 붙여 직사각형을 만들었습니다. 만들어진 직사각형의 네 변의 길이의 합은 몇 cm일까요?

2cm

만들어진 직사각형은 2cm가 6개 있는 것과   (12)cm
같습니다. 2×6=12(cm)

한 변이 각각 3cm, 4cm인 정사각형을 이어 붙였습니다. 색칠된 직사각형의
네 변의 길이의 합은 몇 cm일까요?

3cm   4cm

색칠된 직사각형의 짧은 변은 1cm,   (8)cm
긴 변은 3cm입니다.
1+1+3+3=8(cm)

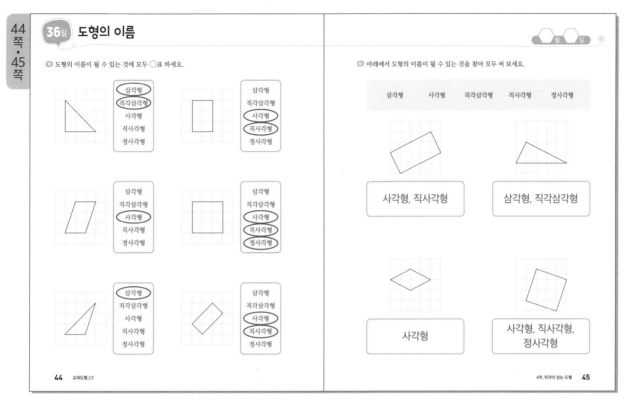

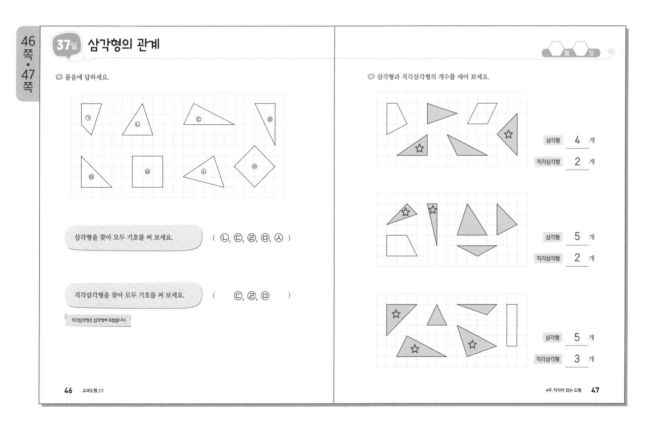

정답

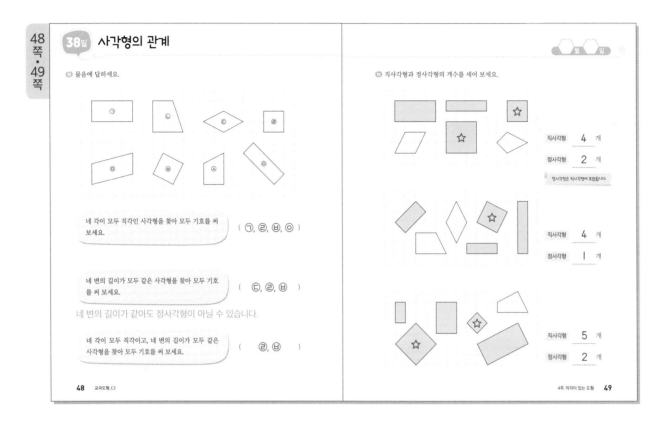

48쪽 · 49쪽

38일 사각형의 관계

11 물음에 답하세요.

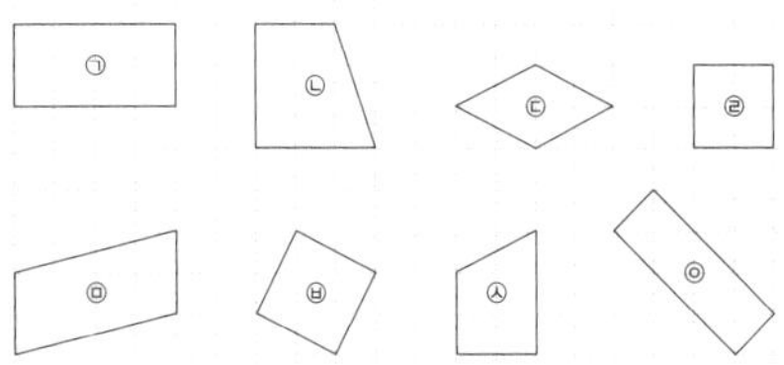

네 각이 모두 직각인 사각형을 찾아 모두 기호를 써 보세요. (㉠, ㉣, ㉥, ㉧)

네 변의 길이가 모두 같은 사각형을 찾아 모두 기호를 써 보세요. (㉢, ㉣, ㉥)

네 변의 길이가 같아도 정사각형이 아닐 수 있습니다.

네 각이 모두 직각이고, 네 변의 길이가 모두 같은 사각형을 찾아 모두 기호를 써 보세요. (㉣, ㉥)

12 직사각형과 정사각형의 개수를 세어 보세요.

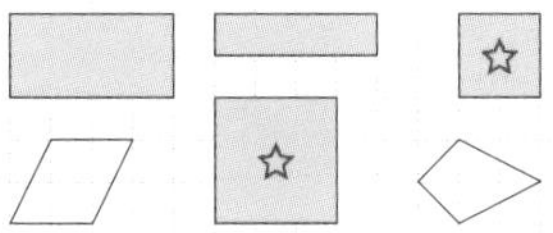

직사각형 4 개

정사각형 2 개

정사각형은 직사각형에 포함됩니다.

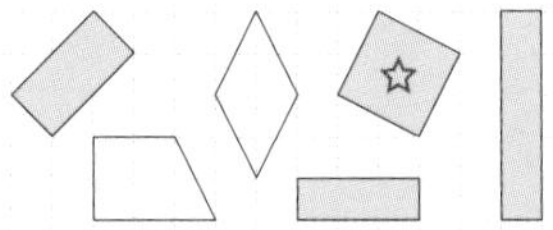

직사각형 4 개

정사각형 1 개

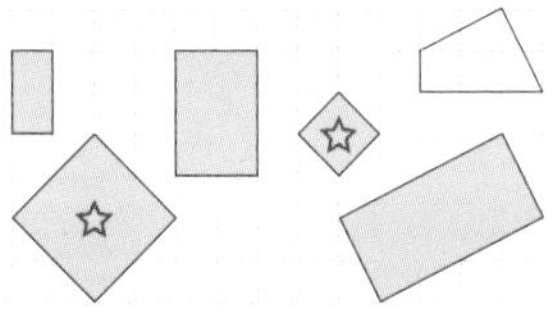

직사각형 5 개

정사각형 2 개

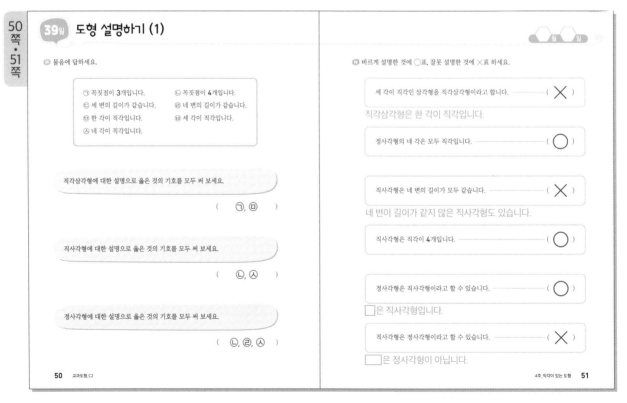

50쪽 · 51쪽

39일 도형 설명하기 (1)

13 물음에 답하세요.

㉠ 꼭짓점이 3개입니다.
㉡ 꼭짓점이 4개입니다.
㉢ 세 변의 길이가 같습니다.
㉣ 네 변의 길이가 같습니다.
㉤ 한 각이 직각입니다.
㉥ 세 각이 직각입니다.
㉦ 네 각이 직각입니다.

직각삼각형에 대한 설명으로 옳은 것의 기호를 모두 써 보세요.

(㉠, ㉤)

직사각형에 대한 설명으로 옳은 것의 기호를 모두 써 보세요.

(㉡, ㉦)

정사각형에 대한 설명으로 옳은 것의 기호를 모두 써 보세요.

(㉡, ㉣, ㉦)

14 바르게 설명한 것에 ○표, 잘못 설명한 것에 ×표 하세요.

세 각이 직각인 삼각형을 직각삼각형이라고 합니다. (×)

직각삼각형은 한 각이 직각입니다.

정사각형의 네 각은 모두 직각입니다. (○)

직사각형은 네 변의 길이가 모두 같습니다. (×)

네 변이 길이가 같지 않은 직사각형도 있습니다.

직사각형은 직각이 4개입니다. (○)

정사각형은 직사각형이라고 할 수 있습니다. (○)

□은 직사각형입니다.

직사각형은 정사각형이라고 할 수 있습니다. (×)

□은 정사각형이 아닙니다.

40일 도형 설명하기 (2)

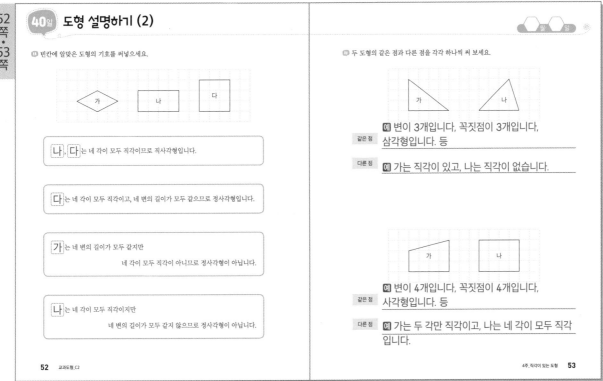

11 빈칸에 알맞은 도형의 기호를 써넣으세요.

나, **다** 는 네 각이 모두 직각이므로 직사각형입니다.

다 는 네 각이 모두 직각이고, 네 변의 길이가 모두 같으므로 정사각형입니다.

가 는 네 변의 길이가 모두 같지만
네 각이 모두 직각이 아니므로 정사각형이 아닙니다.

나 는 네 각이 모두 직각이지만
네 변의 길이가 모두 같지 않으므로 정사각형이 아닙니다.

52　교과도형_C2

11 두 도형의 같은 점과 다른 점을 각각 하나씩 써 보세요.

같은 점 **예** 변이 3개입니다. 꼭짓점이 3개입니다,
삼각형입니다. 등

다른 점 **예** 가는 직각이 있고, 나는 직각이 없습니다.

같은 점 **예** 변이 4개입니다. 꼭짓점이 4개입니다,
사각형입니다. 등

다른 점 **예** 가는 두 각만 직각이고, 나는 네 각이 모두 직각
입니다.

4주. 직각이 있는 도형　53

14 각 도형이 아닌 이유를 써 보세요.

직각삼각형이 아닌 이유
예 한 각이 직각이 아닙니다.
예 삼각형에 직각이 없습니다.

직사각형이 아닌 이유
예 네 각이 모두 직각이 아닙
니다.
예 두 각만 직각입니다.

정사각형이 아닌 이유
예 네 변의 길이가 모두 같지
않습니다.

54　교과도형_C2

정답　**13**

정답

도형플러스+ 크고 작은 도형

PLUS 1 직각삼각형의 개수

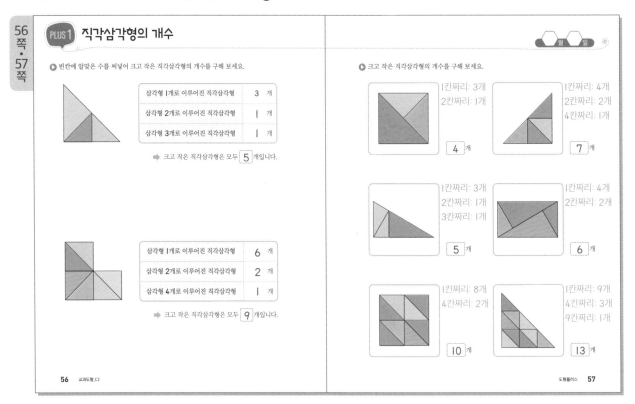

▶ 빈칸에 알맞은 수를 써넣어 크고 작은 직각삼각형의 개수를 구해 보세요.

삼각형 1개로 이루어진 직각삼각형	3 개
삼각형 2개로 이루어진 직각삼각형	1 개
삼각형 3개로 이루어진 직각삼각형	1 개

➡ 크고 작은 직각삼각형은 모두 **5** 개입니다.

삼각형 1개로 이루어진 직각삼각형	6 개
삼각형 2개로 이루어진 직각삼각형	2 개
삼각형 4개로 이루어진 직각삼각형	1 개

➡ 크고 작은 직각삼각형은 모두 **9** 개입니다.

▶ 크고 작은 직각삼각형의 개수를 구해 보세요.

1칸짜리: 3개
2칸짜리: 1개
4 개

1칸짜리: 4개
2칸짜리: 2개
4칸짜리: 1개
7 개

1칸짜리: 3개
2칸짜리: 1개
3칸짜리: 1개
5 개

1칸짜리: 4개
2칸짜리: 2개
6 개

1칸짜리: 8개
4칸짜리: 2개
10 개

1칸짜리: 9개
4칸짜리: 3개
9칸짜리: 1개
13 개

PLUS 2 직사각형의 개수

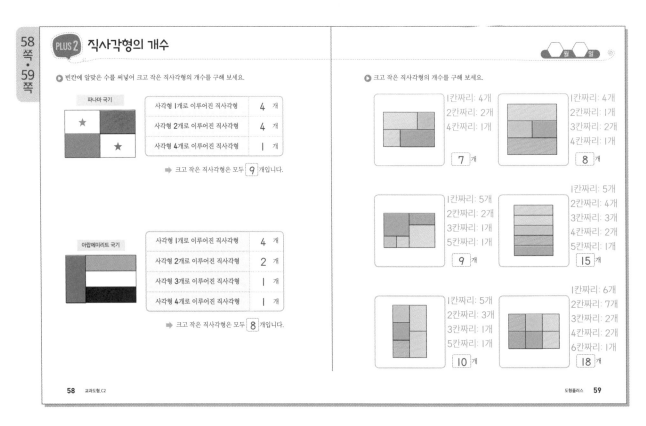

▶ 빈칸에 알맞은 수를 써넣어 크고 작은 직사각형의 개수를 구해 보세요.

파나마 국기

사각형 1개로 이루어진 직사각형	4 개
사각형 2개로 이루어진 직사각형	4 개
사각형 4개로 이루어진 직사각형	1 개

➡ 크고 작은 직사각형은 모두 **9** 개입니다.

아랍에미리트 국기

사각형 1개로 이루어진 직사각형	4 개
사각형 2개로 이루어진 직사각형	2 개
사각형 3개로 이루어진 직사각형	1 개
사각형 4개로 이루어진 직사각형	1 개

➡ 크고 작은 직사각형은 모두 **8** 개입니다.

▶ 크고 작은 직사각형의 개수를 구해 보세요.

1칸짜리: 4개
2칸짜리: 2개
4칸짜리: 1개
7 개

1칸짜리: 4개
2칸짜리: 1개
3칸짜리: 2개
4칸짜리: 1개
8 개

1칸짜리: 5개
2칸짜리: 2개
3칸짜리: 1개
5칸짜리: 1개
9 개

1칸짜리: 5개
2칸짜리: 4개
3칸짜리: 3개
4칸짜리: 2개
5칸짜리: 1개
15 개

1칸짜리: 5개
2칸짜리: 3개
3칸짜리: 1개
5칸짜리: 1개
10 개

1칸짜리: 6개
2칸짜리: 7개
3칸짜리: 2개
4칸짜리: 2개
6칸짜리: 1개
18 개

PLUS 3 **정사각형의 개수**

월 일

○ 빈칸에 알맞은 수를 써넣어 크고 작은 정사각형의 개수를 구해 보세요.

한 변이 작은 정사각형의 한 변과 같은 정사각형	4	개
한 변이 작은 정사각형의 두 변과 같은 정사각형	1	개

➡ 크고 작은 정사각형은 모두 5 개입니다.

한 변이 작은 정사각형의 한 변과 같은 정사각형	3	개
한 변이 작은 정사각형의 두 변과 같은 정사각형	2	개
한 변이 작은 정사각형의 세 변과 같은 정사각형	1	개

➡ 크고 작은 정사각형은 모두 6 개입니다.

○ 크고 작은 정사각형의 개수를 구해 보세요.

작은 정사각형 한 변: 2개 3 개
작은 정사각형 두 변: 1개

작은 정사각형 한 변: 1개 3 개
작은 정사각형 두 변: 1개
작은 정사각형 세 변: 1개

작은 정사각형 한 변: 4개 5 개
작은 정사각형 세 변: 1개

작은 정사각형 한 변: 2개 4 개
작은 정사각형 두 변: 2개

작은 정사각형 한 변: 6개 8 개
작은 정사각형 두 변: 2개

작은 정사각형 한 변: 9개 14 개
작은 정사각형 두 변: 4개
작은 정사각형 세 변: 1개

정답

형성평가 1회

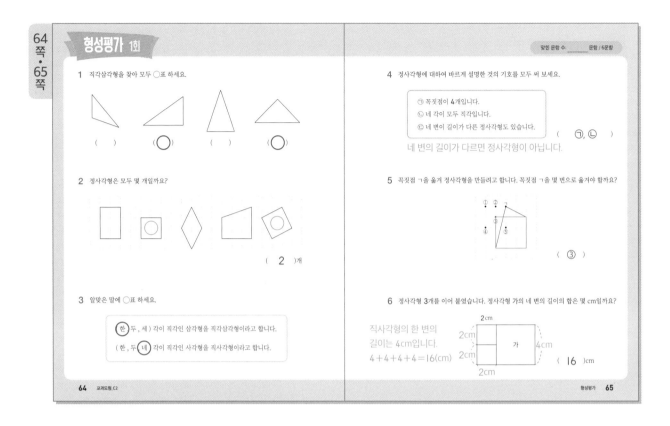

1 직각삼각형을 찾아 모두 ○표 하세요.

( ) (○) ( ) (○)

2 정사각형은 모두 몇 개일까요?

(2)개

3 알맞은 말에 ○표 하세요.

(한, 두, 세) 각이 직각인 삼각형을 직각삼각형이라고 합니다.

(한, 두 네) 각이 직각인 사각형을 직사각형이라고 합니다.

맞힌 문항 수: _____ 문항 / 6문항

4 정사각형에 대하여 바르게 설명한 것의 기호를 모두 써 보세요.

㉠ 꼭짓점이 4개입니다.
㉡ 네 각이 모두 직각입니다.
㉢ 네 변이 길이가 다른 정사각형도 있습니다.

(㉠, ㉡)

네 변의 길이가 다르면 정사각형이 아닙니다.

5 꼭짓점 ㄱ을 옮겨 정사각형을 만들려고 합니다. 꼭짓점 ㄱ을 몇 번으로 옮겨야 할까요?

(③)

6 정사각형 3개를 이어 붙였습니다. 정사각형 가의 네 변의 길이의 합은 몇 cm일까요?

직사각형의 한 변의
길이는 4cm입니다.
4+4+4+4=16(cm)

(16)cm

형성평가 2회

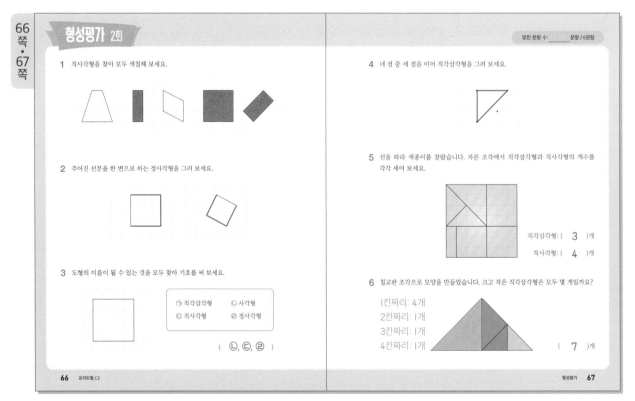

1 직사각형을 찾아 모두 색칠해 보세요.

2 주어진 선분을 한 변으로 하는 정사각형을 그려 보세요.

3 도형의 이름이 될 수 있는 것을 모두 찾아 기호를 써 보세요.

㉠ 직각삼각형   ㉡ 사각형
㉢ 직사각형   ㉣ 정사각형

(㉡, ㉢, ㉣)

맞힌 문항 수: _____ 문항 / 6문항

4 네 점 중 세 점을 이어 직각삼각형을 그려 보세요.

5 선을 따라 색종이를 잘랐습니다. 자른 조각에서 직각삼각형과 직사각형의 개수를 각각 세어 보세요.

직각삼각형: (3)개

직사각형: (4)개

6 칠교판 조각으로 모양을 만들었습니다. 크고 작은 직각삼각형은 모두 몇 개일까요?

1칸짜리: 4개
2칸짜리: 1개
3칸짜리: 1개
4칸짜리: 1개

(7)개